Encore des disputes avec ma sœur !

Lulu est une héroïne du magazine Astrapi
Création : Bernadette Després
Scénarios et recueils de témoignages :
Anne-Sophie Chilard (p. 20 à 23)
et Stéphanie Duval (p. 8 à 11 et 32 à 35)
Maquette : Rachel Bisseuil

© Bayard Éditions, 2010
18, rue Barbès - 92128 Montrouge Cedex
ISBN : 978-2-7470-3174-5
Dépôt légal : juin 2010
Reproduction, même partielle, interdite.
Imprimé en Italie

Stéphanie Duval • Marylise Morel

Encore des disputes avec ma sœur !

bayard jeunesse

Encore des disputes avec ma sœur !

Sommaire

Les disputes entre sœurs

Entre Lulu et sa sœur, les sujets de disputes ne manquent pas ! Parfois, les chamailleries commencent dès le petit-déjeuner...
Heureusement, pour réconcilier les deux sœurs, il y a le foot !

Lulu se chamaille avec sa sœur

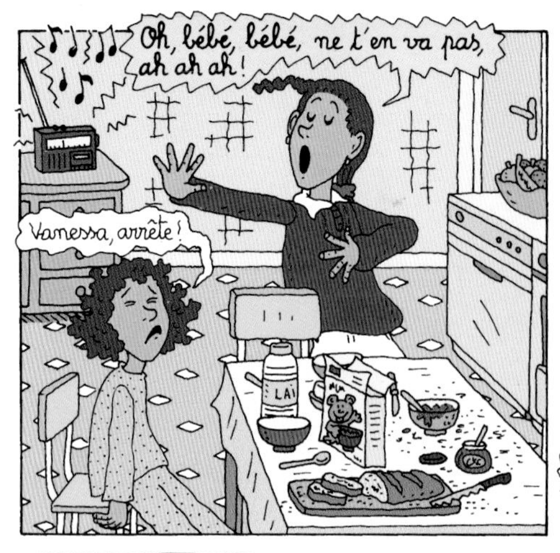

Ça suffit ! Vous ne pouvez pas vous expliquer calmement, au lieu de vous battre ?
Ouh la, que se passe-t-il, ici ?

Depuis ce matin, elles n'arrêtent pas de se disputer pour un oui ou un non. Je n'en peux plus !
Et les filles, jetez donc un œil sur mes pieds !

Classe, tu es trop à la mode, papa !
Allez, je vous emmène faire une partie de foot pour essayer mes nouvelles baskets.
Super !

Bon alors, vous deux contre moi, c'est plus équitable, non ?
Bon... d'accord !
Tu as intérêt à être en forme, papa !

8 à 0 !
Bon, on fait la mi-temps, maintenant ?

On pourrait peut-être changer les équipes, non ?
Ah, non...
... Rien ne peut séparer une équipe qui gagne !

Fin

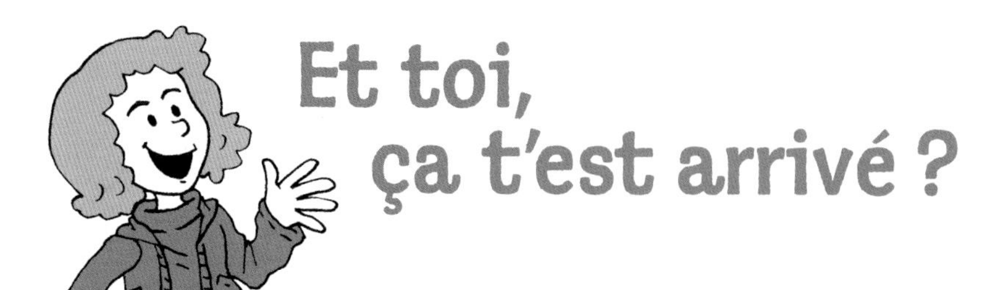

Et toi, ça t'est arrivé ?

Avec mes grands frères, on se dispute souvent pour le programme télé car c'est tout le temps eux qui choisissent… Je trouve que c'est injuste ! Ce serait mieux si c'était chacun son tour !

Anaïs, 8 ans ½

Ma sœur n'arrête pas de fouiller dans mes affaires, cela m'énerve et on se dispute ! On se crie dessus, parfois même, on se griffe et on se tape ! Et là, ça fait crier mes parents... Alors après, tout le monde se réconcilie !

Luna, 10 ans

Avec mon petit frère, on se dispute souvent car il veut tout faire comme moi et j'en ai assez ! Quand je veux qu'il me laisse un peu tranquille, je vais me cacher : mes parents m'ont installé un petit coin secret où Charly n'a pas le droit d'aller.

Ludo, 10 ans

Je suis fille unique donc je ne peux pas me disputer avec un frère ou une sœur... Parfois je me dis que j'ai de la chance, et parfois je me dis que j'aimerais bien avoir quelqu'un avec qui jouer... et me disputer !

Gabriela, 9 ans

Ma sœur et moi, on n'a pas du tout les mêmes goûts ni le même caractère alors des fois, à la maison, ça chauffe entre nous ! Par contre, on adore jouer à la crapette ensemble. Et là, on rigole beaucoup !

Zoé, 11 ans

Si tu es comme Lulu...

Et toi ? Avec ton frère ou ta sœur, vous disputez-vous souvent ? Pour quelles raisons ?

Des désaccords

Avec ton frère ou ta sœur, vous n'arrivez pas à vous entendre sur le choix d'un programme télé, pour débarrasser la table, pour jouer ensemble… Vous vous criez dessus pour savoir qui d'entre vous a raison et obtiendra ce qu'il veut. Vous n'êtes pas d'accord et vous vous disputez souvent.

Un manque de respect

Ton frère ne respecte pas ton intimité : il entre dans ta chambre sans ta permission, fouille dans tes affaires, lit ton journal secret… parfois même, il te parle mal. Tout cela provoque de grosses disputes entre vous ainsi que des désirs de vengeance de ta part.

Des caractères différents

Tu adores le foot, la course et les rollers, mais ton frère préfère la lecture, le dessin et les jeux calmes. Cela crée un décalage entre vous que vous n'arrivez pas à dépasser. Vous n'avez pas grand-chose en commun et ces différences sont sources de conflits.

Dispute et compagnie

Voici une série de mots pour décrire les chamailleries.

Discussion
Bagarre
Conflit
Démêlé
Explication
Prise de bec
Querelle
Brouille
Fâcherie
Chicane

Citation

« Le plaisir des disputes, c'est de faire la paix. »

Alfred Musset, auteur et poète.

De bonnes raisons de se disputer

Il est tout à fait normal de se disputer entre frères et sœurs, ça fait partie de la vie de famille...

Une histoire en commun

Avec ton frère, vous avez plusieurs choses en commun : les mêmes parents, les mêmes gènes et la même histoire familiale. Mais cela ne signifie pas que vous pensiez la même chose, que vous ayez le même rythme de développement. Chacun reste unique ! Les disputes fraternelles permettent à chacun d'être soi-même.

Un quotidien partagé

Avec ton frère, vous vivez ensemble sous le même toit. Vous partagez peut-être la même chambre, la même salle de bains, et cela n'est pas facile tous les jours. Chacun doit supporter le caractère, les humeurs, les petites manies de l'autre. Vivre ensemble fait apprendre les notions de partage et de solidarité dans la famille.

La famille : un lien fort

On ne choisit pas ses frères et sœurs, et quelquefois c'est une drôle d'affaire de vivre ensemble ! La relation fraternelle est faite de disputes mais aussi de complicité. Ce sont les souvenirs partagés et les bons moments passés ensemble qui unissent les membres d'une fratrie. Se disputer n'empêche pas de construire un lien fort et durable. C'est ce qui arrive aussi entre bons amis.

La fratrie : petite définition

L'ensemble des frères et sœurs d'une famille, c'est une fratrie. Et chacune a un caractère particulier. Il y en a des grandes et des petites, mixtes ou composées uniquement de filles ou de garçons, avec des âges rapprochés ou au contraire avec beaucoup d'années de différence, comportant des jumeaux, un enfant handicapé, etc. Tous les cas de figures sont possibles. Parfois même, certains enfants vivent ensemble alors qu'ils ne sont pas frères et sœurs, comme dans les familles recomposées…

Petits trucs pour mieux s'entendre

Voici quelques idées qui apporteront un peu de paix au sein de ta famille.

- **Parle à ton frère,** exprime ce que tu ressens par des mots, une lettre ou un dessin.

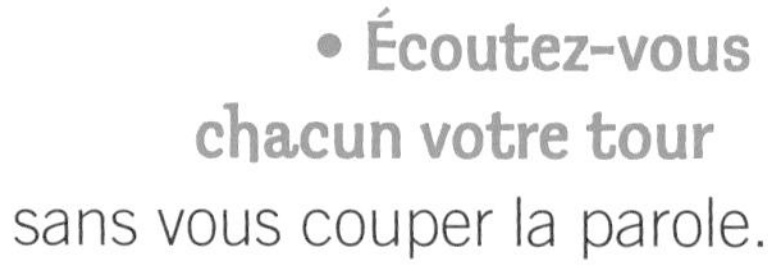

- **Écoutez-vous chacun votre tour** sans vous couper la parole.

- **En cas de tension ou de colère, isolez-vous** chacun dans un endroit différent.

• **Essayez de régler votre désaccord** sans que vos parents aient besoin d'intervenir.

• **Établissez ensemble des règles** de vie commune.

Non aux coups !

Il est indispensable d'arriver à manifester ta colère de façon acceptable, c'est-à-dire sans utiliser la violence. Personne ne peut t'obliger à aimer ton frère, mais il est absolument interdit de lui faire mal. Sinon, tes parents ou un adulte auront raison d'intervenir pour arrêter cette violence.

Les jalousies entre sœurs

Lulu rêve d'avoir les oreilles percées, comme sa sœur. Elle trouve aussi que Vanessa a plus d'avantages qu'elle et cela la rend jalouse. Pourtant, c'est Lulu qui va aller voir un spectacle de danse avec sa mère…

Lulu est jalouse de Vanessa

Lulu est jalouse de Vanessa

Et toi, ça t'est arrivé ?

Ma grande sœur m'énerve, elle a le droit de faire plein de choses et pas moi… Et quand je lui en parle, elle me répond que c'est moi qui ai de la chance car je suis la chouchoute.

Alice, 7 ans ½

J'ai une petite sœur. Quand elle était bébé, tout le monde s'occupait d'elle. Comme j'étais enfant unique avant son arrivée, ça m'a fait tout drôle ! Mais maintenant, ça va, je me suis habitué. J'ai des avantages qu'elle n'a pas…

Stéphane, 10 ans

C'est mon frère qui est jaloux de moi. Il trouve que j'ai des jeux mieux que les siens et il fait tout pour me les prendre. Mais comme je ne veux pas lui prêter, alors il me tape ! Et nos parents nous grondent tous les deux…

Anton, 8 ans ½

Mon grand frère fait tout mieux que moi, c'est agaçant ! Moi aussi, j'aimerais bien avoir le droit d'aller à l'école en vélo, regarder la télé tard le soir… Il faut que j'attende encore de grandir !

Aurélien, 9 ans

C'est assez énervant d'avoir une petite sœur. Quand elle arrive au monde, on se dit : « Super ! C'est génial ! », mais plus elle grandit, plus c'est dur. Maintenant, elle veut tout faire comme moi… J'essaie de garder mon calme, mais ce n'est pas facile !

Noria, 10 ans

Si tu es comme Lulu...

Et toi ? Es-tu jaloux(se) de ta sœur ou de ton frère ? Pour quelles raisons ?

C'est la meilleure

Ta sœur est plus forte, plus douée que toi. Elle arrive à faire des choses que tu ne réussis pas. Cela te donne l'impression d'être nulle et cela te rend malheureuse. Tu aimerais tellement être à sa place que cela te rend très jalouse.

C'est la préférée

Tu penses que ta sœur est la chouchoute de ta famille car elle a plus de jouets, plus d'attention que toi. Tu ressens un sentiment d'injustice et cela te rend triste. Tu as l'impression d'être désavantagée par rapport à elle, d'être moins aimée et tu voudrais que cela change.

C'est ta rivale

Tu aimerais bien être à la place de ta sœur et tu fais tout pour cela. Tu as peur d'être moins appréciée qu'elle, alors tu lui en veux beaucoup ! Ce sentiment d'injustice te fait souffrir. Il arrive même que cela provoque un peu d'angoisse chez toi.

JUMEAUX, JUMELLES

Les frères jumeaux et sœurs jumelles sont nés le même jour. Ils ont grandi ensemble dans le ventre de leur mère et parfois ils se ressemblent beaucoup. Souvent, on s'imagine qu'ils s'entendent à merveille et vivent en harmonie, sans se disputer. Mais ce n'est pas toujours le cas ! Vivre en permanence avec un double n'est pas forcément confortable ni facile. En effet, leur principale difficulté est de se développer comme deux êtres singuliers. Leur problème est d'apprendre à se différencier, de comprendre que chacun est soi. La jalousie et les disputes sont très fréquentes chez les jumeaux…

Pas de panique !

La jalousie entre frère et sœur est aussi un sentiment utile car il aide à grandir.

Mieux se connaître

Lorsque tu es jaloux de ton frère, cela veut dire que tu te compares à lui. Tu prends conscience de vos différences et de vos ressemblances. Cela te permet de mieux te définir par rapport à lui, ce qui veut dire que tu apprends à mieux te connaître.

Apprendre à s'affirmer

La jalousie, c'est le ciment de l'image de soi. C'est par elle que chacun construit sa propre personnalité. En effet, quand tu es jaloux, tu réalises que tu es bien unique. L'autre, ce n'est pas toi. Et cela demande parfois des efforts de vivre avec lui. En vous disputant, vous exprimez ce que vous êtes chacun.

Se préparer à vivre avec les autres

Les jalousies entre frères et sœurs permettent de se préparer à la vie en société. En effet, c'est au contact d'eux que tu apprends à accepter les petites injustices, les vexations, et tout ce qui provoque ta jalousie. La rivalité fraternelle est donc normale et utile pour apprendre à vivre en groupe.

ENFANT UNIQUE : RÊVE OU CAUCHEMAR ?

Dans les familles où il n'y a qu'un seul enfant, il n'y a pas de disputes ni jalousies entre frères et sœurs. L'enfant unique a ses parents rien que pour lui, ses jouets, sa chambre… Parfois, cela est vécu comme un rêve, et parfois, comme un cauchemar. En effet, l'enfant s'ennuie plus vite sans compagnon de jeu et trouve quelquefois ses parents trop présents. En réalité, il n'y a pas de situation idéale.

Petits trucs pour être plus complices !

Voici des idées pour parvenir à une meilleure entente entre frères et sœurs.

• **Arrête de te comparer à lui et explique à tes parents** combien cela te rend malheureux(se) quand eux-mêmes le font.

• **Essaie d'accepter les défauts** de ton frère et reconnais ses **qualités**.

• **Propose-lui de partager une activité** que vous aimez tous les deux.

• **Exprime ce que tu ressens à un adulte** en qui tu as confiance.

- **Fais la liste de tes qualités,** de tes compétences, exprime tes différences et arrête de penser que tu es nul(le).

- **Organise un jeu d'équipe en famille** et mets-toi avec ton frère.

Frères et sœurs célèbres !

→ Joseph et Étienne de Montgolfier, inventeurs de la montgolfière, qui décolla en 1796.

→ Charlotte, Emily et Ann Brontë, romancières anglaises.

→ Auguste et Louis Lumière, inventeurs du cinématographe.

→ Armand et Eugène Peugeot, créateurs des usines d'où sont sorties les voitures qui portent leur nom.

→ Les frères Dalton, vrais bandits et leurs copies dans Lucky Luke (Joe, Jack, William, Averell).

→ Richard et Maurice McDonald, à l'origine des célèbres hamburgers.

→ Les Jackson Five, cinq frères chanteurs américains, dont le célèbre Michael Jackson.

La place dans la famille

Lulu aurait voulu être l'aînée de sa famille. Elle trouve que sa grande sœur la commande tout le temps et en plus elle récupère tous ses vêtements. Trop, c'est trop ! Pourtant, être la petite dernière a aussi ses avantages...

J'y vais, Lulu. Je serai de retour en fin d'après-midi. J'ai montré à Vanessa ce que vous pouvez vous préparer pour déjeuner...
Oh, je n'aime pas quand tu travailles le samedi... Et papa, il rentre quand ?

Ce soir aussi, il est à un congrès toute la journée. On dînera tous ensemble. Allez, bisou, soyez sages.
Pfff, Vanessa va encore faire sa chef.

Plus tard
T'as fait tes devoirs avant de regarder la télé ?
Oui, hier. Et puis ça va, t'es pas ma mère !

Non, mais je suis l'aînée et les parents ne sont pas là, alors c'est moi qui suis responsable de toi.
Eh, mon dessin animé...
ZAP !

Silence, microbe. C'est moi qui décide ce qu'on peut regarder. Mais avant, va me chercher un paquet de chips.
Tu te crois tout permis parce que tu es la plus grande. J'en ai assez ! Tu peux aller chercher tes chips toute seule !

ZAP
ZAP
ZAP

En fin d'après-midi
Tiens, Vanessa, c'est pour toi. Il est beau, non ? Le tien est vraiment trop petit, il ira très bien à Lulu.
Waouh, trop classe !
Oh ! Non !

Je croyais que tu adorais le blouson de Vanessa !
C'est pas ça mais j'ai toujours ses vieux habits. Je passe toujours après elle.

En plus, elle me commande tout le temps... J'en ai assez d'être la dernière, assez, assez, ASSEZ !
Mais, ma puce...

J'aurais bien voulu être l'aînée...
Tu sais, il n'y a pas de place idéale dans une famille...

Être l'aîné a ses avantages mais aussi ses inconvénients. Demande à Tim ce qu'il en pense...
Mmm... C'est vrai qu'il en a ras-le-bol de s'occuper de ses petits frères. Il m'a même dit qu'il rêvait d'avoir un grand frère...

Tu vois !

Le soir
Quoi ? Vous lui permettez d'aller toute seule au parc avec Tim et Élodie ? Moi, à son âge, je n'avais pas le droit !
PAF !

C'est pas juste ! J'avais 11 ans la première fois que vous avez accepté !
C'est comme ça, ma chérie. C'est vrai que les parents sont souvent plus détendus avec leur deuxième enfant...

À chacune ses avantages... Toi, c'est le blouson neuf et moi le parc avec Tim et Élodie !

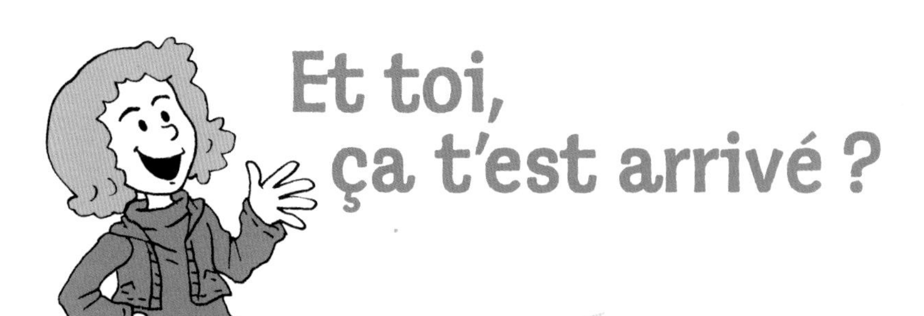

Et toi, ça t'est arrivé ?

J'aurais voulu être l'aînée, comme mon frère. Il peut se coucher plus tard que moi le soir, et regarder la télé, même quand il y a école le lendemain. En plus, il a tout en premier : un scooter, par exemple !

Charlotte, 8 ans

J'en ai marre de mon grand frère : il me commande tout le temps ! J'aimerais bien, moi aussi, être l'aîné et tout décider comme lui.

Julien, 8 ans ½

Ma grande sœur a eu la chance d'avoir nos parents pour elle toute seule avant que, mon frère et moi, on naisse. J'aurais bien voulu être à sa place. Mais j'aime bien aussi être la petite dernière car mes parents sont moins sévères avec moi qu'avec mon frère et ma sœur !

Lucie, 11 ans

Non, moi, je n'aurais pas voulu être l'aîné. Ma grande sœur, c'est toujours elle qui se fait gronder en premier quand on fait des bêtises !

Jules, 9 ans

Je suis l'aînée et, parfois, je suis jalouse de ma petite sœur. Comme c'est la dernière de la famille, on la laisse faire plein de bêtises et, moi, on me demande toujours de montrer l'exemple. C'est fatigant !

Marie, 10 ans

Si tu es comme Lulu...

Et toi ? Tu n'aimes pas ta place dans ta famille. Tu aurais préféré être l'aîné(e) ou le (la) dernier(ère)...

Être l'aîné, c'est compliqué !

C'est difficile d'être l'aîné de ta famille. Tu dois montrer l'exemple à ton petit frère et tu en as assez. En plus, ce dernier veut tout faire comme toi, cela t'énerve de l'avoir toujours sur le dos ! Tu penses que tes parents sont moins sévères avec lui et tu trouves cela injuste. Ton rêve, ce serait d'avoir un grand frère ou une grande sœur sur qui t'appuyer !

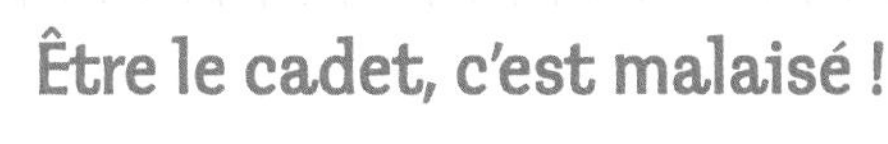

Être le cadet, c'est malaisé !

Tu es le second de ta fratrie et tu trouves cela dur de faire ta place ! Ton grand frère te commande tout le temps, surtout en l'absence de tes parents. Il profite de sa situation et cela te met en colère. Tu aimerais bien faire comme lui mais tu n'y arrives pas, alors tu te sens nul. Si tu as un petit frère, tu as du mal à te situer : soit tu es trop petit pour être grand, soit trop grand pour être petit !

Être le benjamin, ce n'est pas bien !

Tu es le dernier et tu en as assez ! Ton grand frère fait tout mieux que toi et cela t'énerve. Il a le droit de faire des choses qui te sont interdites. Tu trouves que ce n'est pas juste que ce soit les plus grands qui commandent et qui décident de tout. Tu aimerais bien que l'on t'écoute plus ! Tu as l'impression que tes parents te délaissent et qu'ils s'occupent plus des grands et tu voudrais que ça change !

Un mot pour chaque place

Le premier enfant d'une famille : l'aîné.

Le deuxième enfant d'une famille : le cadet ou puîné.

Le dernier-né : le benjamin.

Aucune place n'est idéale

Aîné(e), cadet(te) ou benjamin(e), chaque position dans la fratrie a ses avantages... et ses inconvénients !

Les atouts de l'aîné

Lorsque le premier enfant naît dans une famille, c'est lui qui transforme un homme et une femme en ses deux parents. Il est LA référence, LE grand. De plus, il est le seul enfant qui a eu ses parents pour lui tout seul, avant la naissance des autres.

Les atouts du cadet

Le cadet est né après le premier enfant. Ses parents sont souvent moins sur son dos et cela lui laisse plus de possibilités pour agir. À certains moments, son grand frère est là pour le conseiller, l'aider. S'il a un petit frère, il a l'avantage de pouvoir commander celui-ci et d'avoir un admirateur !

Les atouts du benjamin

Le benjamin est le petit dernier. Il est souvent perçu comme le chouchou, celui auquel ses parents laissent passer plus de choses. Comme il est le plus petit, les parents le gâtent plus.

Les difficultés de l'aîné

C'est lui qui donne l'occasion d'apprendre aux parents à devenir parents ! Parfois, il doit se battre pour obtenir certaines choses que les suivants auront plus facilement. Il a aussi une responsabilité vis-à-vis de ses frères et sœurs : on lui demande souvent de montrer l'exemple ! Ses parents sont généralement plus exigeants avec lui…

Les difficultés du cadet

C'est parfois difficile pour lui de faire sa place. Souvent, il voit son aîné réussir dans certains domaines. Lui n'y arrive pas, uniquement parce qu'il n'a pas l'âge pour cela mais en conclut qu'il n'est bon à rien. S'il a un petit frère, il peut avoir l'impression d'être délaissé par ses parents…

Les difficultés du benjamin

Il a l'impression de toujours passer en dernier. Et il peut se sentir un peu abandonné par ses parents, très occupés par les plus grands. Il se compare souvent à ses grands frères, et a envie de les égaler…

Savoir dire non

Parfois, dans certaines familles, le grand frère ou la grande sœur demande aux plus petits(es) de faire des choses dangereuses ou interdites comme commettre un vol ou se faire des caresses qui mettent mal à l'aise. Il est important de dire NON.

Personne ne peut obliger quelqu'un d'autre à faire quelque chose qu'il ne veut pas, même si c'est quelqu'un de sa famille. Parles-en à tes parents ou à un adulte en qui tu as confiance, afin qu'ils interviennent immédiatement !

Petits trucs pour apprécier ta place dans la famille !

Voici quelques idées pour réaliser que ta place n'est pas si désagréable.

- **Sur un papier, fais deux colonnes et liste les avantages et les inconvénients** liés à ta place dans la famille et compare-les. Tu seras étonné du résultat !

- **Demande à tes frères et sœurs de faire la même chose.** Échangez vos résultats, discutez-en et vous verrez qu'aucune place n'est parfaite.

- **Mène l'enquête autour de toi, demande aux adultes** qui te sont proches : tes parents, grands-parents, oncles, tantes… quelle place ils avaient dans leur famille, demande-leur les avantages qu'ils y ont trouvé et comment ils s'en sont servis pour grandir.

• Demande à un copain qui est dans la même situation que toi comment cela se passe chez lui. Listez les avantages et les inconvénients de votre place. Comparez vos résultats…

UN CHANGEMENT HISTORIQUE

Jadis, l'aîné d'une famille était celui qui portait le nom, reprenait les traditions familiales et héritait du patrimoine. Le cadet, lui, devait quitter le foyer familial. Souvent, il entrait dans les ordres ou partait à la découverte du monde. La Révolution de 1789, puis la Déclaration des droits de l'homme et le Code Napoléon ont bouleversé la vie des cadets et permis plus d'égalité. Aujourd'hui, en France, chaque enfant a les mêmes droits et les mêmes obligations, quel que soit son rang dans la fratrie.

Jeu-Test : Et toi, ça se pass

1 - Avec ton frère ou ta sœur, vous vous disputez...

- ♥ Jamais.
- ★ Tous les jours.
- ● De temps en temps.

2 - C'est l'heure de ton émission préférée mais ton frère veut voir un autre programme...

- ♥ Vous arrivez à vous mettre d'accord très vite.
- ● Vous vous disputez beaucoup avant de vous mettre d'accord.
- ★ Vous n'arrivez pas à vous mettre d'accord et loupez le programme.

3 - C'est l'heure de mettre la table...

- ★ Ce sont vos parents qui décident qui doit le faire.
- ♥ Vous mettez le couvert ensemble.
- ● C'est chacun son tour.

4 - Un adulte fait des compliments à ta sœur...

- ♥ Tu reconnais qu'il a raison de la complimenter.
- ● Tu es à la fois très jaloux(se) et admiratif(ve).
- ★ Ça te met en colère et tu voudrais que ta sœur n'existe pas !

5 - Quelqu'un offre à ton frère quelque chose dont tu as très envie...

- ♥ Tu es déçu(e) mais tu te souviens que la dernière fois, c'était l'inverse.
- ● Tu es jaloux(se) mais tu espères que ton frère te le prêtera.
- ★ Tu es tellement en colère que tu es prêt(e) à le lui voler ou le lui casser.

6 - Tu dois partager un paquet de bonbons avec tes frères et sœurs...

- ♥ Tu fais des parts équitables.
- ● Tu trouves ça difficile mais tu partages quand même.
- ★ Tu trouves ça insupportable et tu te gardes la plus grosse part.

7 - Ta mère fait un câlin à ta sœur...

- ★ Tu ne le supportes pas.
- ♥ Pas de souci ! Ça te paraît normal.
- ● Tu es jaloux(se) mais tu attends patiemment ton tour.

8 - Si tu avais pu choisir ta famille...

- ♥ Tu garderais la même.
- ● Tu voudrais échanger de place avec ton frère (ta sœur).
- ★ Tu aimerais que ton frère (ta sœur) n'existe pas.

RÉSULTATS DU JEU-TEST

SI TU AS UNE MAJORITÉ DE ♥

Une bonne entente !
Il règne une bonne ambiance dans ta fratrie. Entre frères et sœurs, vous vous soutenez et vous êtes très complices. Vous partagez vos soucis et vos joies. Malgré vos disputes, vous êtes liés comme de bons amis. La vie de famille au quotidien est facile !

SI TU AS UNE MAJORITÉ DE ●

Une rivalité mêlée d'une complicité !
Vous partagez beaucoup de bons moments entre frères et sœurs, mais parfois cela chauffe entre vous. À certains moments, vous rigolez bien ensemble mais à d'autres, vos disputes sont violentes. Ces petites chamailleries donnent un peu de piment au quotidien !

SI TU AS UNE MAJORITÉ DE 

Une haine féroce !
Avec tes frère et sœurs, vous ne pouvez pas vous supporter. Vous vous disputez pour un oui ou pour un non et, bien souvent, un adulte doit intervenir pour éviter que cela ne dégénère. Pourquoi ne pas faire quelques efforts pour retrouver un peu de sérénité !

bayard

C'est la vie Lulu !

Stéphanie Duval • Marylise Morel
C'est la vie Lulu !
Dur, dur, les complexe
Image de soi
Confiance et estime
bayard jeunesse

Des petits documentaires

Trois BD, des témoignages
et plein d'infos pour gérer
au mieux la situation !

C'est la vie Lulu !
J'ai honte de ce que j'ai fait

Des romans,

suivis de conseils malins,
pour mieux vivre les petits soucis
de la vie quotidienne.

© Marylise Morel

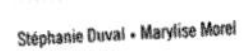

Lulu est un personnage du magazine